멸균 부대

멸균 부대

발 행 | 2023년 1월 30일
저 자 | 정다인
펴낸이 | 한건희
펴낸곳 | 주식회사 부크크
출판사등록 | 2014.07.15.(제2014-16호)
주 소 | 서울특별시 금천구 가산디지털1로 119 SK트윈타워 A동 305호
전 화 | 1670-8316
이메일 | info@bookk.co.kr

ISBN | 979-11-410-1356-1

www.bookk.co.kr

멸균부대

정다인 지음

CONTENT

prologue

손톱만한 알약을 집어 삼키면 신통방통하게 병이 낫기도 합니다.

이 책은 알약 속 분자들이 우리 몸 안에서 대체 무슨 일들을 겪고 병을 낫게 해주는지 궁금한 독자들을 위합니다.

항생제 분자의 시점으로 진행되는 이 글을 읽으며 마치 본인이 항생제가 된 것 같은 기분을 느껴보세요. 어떤 힘든 과정을 거쳐 세균을 죽이는지, 항생제 내성이 어떻게 생기게 되는지, 내성이 얼마나 심각한지, 조금이나마 이해하게 될 것입니다.

현재 존재하는 항생제에게 감사하며 오남용 하지 않기를 바라며 책을 씁니다.

제1화 MDT

MDT는 medical duty team의 약자로, 인간들 몸 속에 침투하고 치료 임무를 수행하는 특수 부대이다. 인간들은 우리 부대의 존재를 알지 못한다. 그저 하얀 알약을 목으로 넘기면 알아서 병이 치료되는 줄 알지만 사실 알약이 넘어가는 순간부터 우리 팀원들이 한바탕 전쟁을 벌이는 것이다. 제약 회사 연구원들 역시 우리가 살아 움직이고 인간 군인들처럼 임무를 수행한다는 점은 모른다. 단지 그들은 우리들의 잠재력과 임무 수행 능력을 감사히 발견해주고 치료 작전을 잘 이

끌 수 있도록 도와줄 뿐이다. 참 신기한 관계이다. 우리는 연구원들에게 '치료 효과를 보이는 유기물' 정도라고 말할 수 있을 듯 싶다.

대원들은 인간들의 건강을 위한 희생을 두려워해서는 안 된다. 이 덕목은 입대할 때부터 세뇌 받듯이 한다. 우리가 이렇게 살아 움직인다는 사실조차 모르는 인간들을 위해 대체 왜 이런 고생을 하는지 상부에 의문을 가지면 그들은 이렇게 답한다.

“인간은 우리가 살아 움직인다는 사실은 모를지 언정 우리를 존재하게 해준 이들이다”

지극히 맞는 말이긴 하다. 우리에게 연구원은 자식을 낳아준 부모 같은 이들이므로 일종의 자식된 도리를 지키는 것이다. 인간도 그렇고 우리도 그렇고 아무리 부모가 자신의 모든 것을 몰라준다 해도 그들에게 감사함을 느낀다. 연구원들을 만나 우리들의 존재의 의미를 찾았고 인간들에게 ‘항생제’라는 이름으로 그

의미를 실현하는 삶을 살 수 있게 되었다.

여기까지는 우리 부대가 FM으로 가져야할 마인드이다. 나는 내심 내 직업에 대한 회의감이 있다. 목숨 걸고 하는 임무가 내가 이렇게 살아 움직인다는 사실조차 모르는 이들을 위한 일이라니! 그도 그럴 것이 MDT는 임무 특성상 단 한 번의 임무 수행만을 위해 양성된다. 알약을 재사용할 수는 없지 않은가. 작전대로 완벽히 임무를 수행한 인원은 처음이자 마지막 침투 후 적과 얽혀 차갑게 배설된다.

제2화 멸균의 횃불

MDT는 각 여단마다 다른 적을 상대한다. 우리 항생제 여단의 주적은 '세균'이다. 여담이지만 인간 세계의 군인들이 군가 '멸공의 횃불'을 부를 때 우리 팀은 '멸균의 횃불'을 부른다. 그리고 거수경례는 멸균!으로 통일한다.

적은 아주 오래전부터 인간들을 죽음으로 몰아넣었다. 페스트에 대해 들어보았는가? 페스트균은 온몸을 검게 변하게 만들고 결국에는 싸늘히 죽게 만든다. 생각만 해도 끔찍한 일이다. 그들은 14세기 유럽 인구의

3분의 1을 몰살했다고 알려진다. 그 당시 사람들은 적군의 공격에 당한 것이라는 사실조차 알지 못하고 영문도 모른 채 목숨을 잃었다고 한다. 그러니 그들의 대처는 전혀 효과적이지 못할 수밖에 없었다. 우리 부대가 없던 시절, 사람들은 역병의 전파에 대해 공기를 적으로 오인하여 거리에 불을 피워 공기를 태우려 했다.

그런 적들을, 우리 부대에서 상대할 수 있다는 사실은 굉장히 영광스럽다고 생각한다. 적어도 그 당시보다는 적군들의 정보를 상당량 입수했기 때문에 공기를 태우는 일은 없다.

MDT 세균 팀은 1928년 플레밍이 우연히 페니실린을 발견했을 때부터 시작되었다.

그는 실험을 위해 포도상구균을 배양하려 했지만 배양 접시의 뚜껑을 잘 닫지 않아 곰팡이를 함께 배양하게 되었다. 그런데 놀랍게도 그 곰팡이가 포도상구균을 없애고 밀어내는 현상을 목격하게 되었다. 이 후 인간들은 이 현상에 대해 연구를 진행했고 푸른곰팡이가 멸균 효과를 가진다는 사실을 밝혀냈다. 바로 그 곰팡이가 우리 팀 대선배님이다. 예상했겠지만 자대 앞 우뚝 서 있는, 배양 접시 형상을 띄고 있는 석상은 선배님을 기리는 기념비이다.

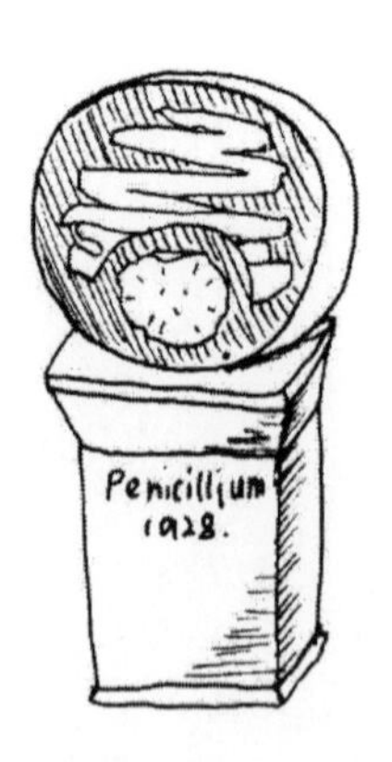

임무 투입 시, 우리는 혈관을 타고 작전지까지 기동하기 때문에 작전의 중요한 시작점은 '혈관 침투'이다. 혀 아래, 정맥, 경구, 호흡기 등 다양한 경로는 우리가 혈관으로 흡수되는 속도를 결정 짓는다. 그러므로 MDT는 작전 상황에 맞게 다양한 경로를 선택해 혈관까지 침투한다.

주삿바늘을 타고 혈관으로 직접 바로 침투할 경우 소화 기관이라는 큰 산을 우회할 수 있지만 매번 주삿바늘의 힘을 빌릴 수는 없다. 주삿바늘을 타고 들어가려면 환자가 매번 주사 플랫폼까지 와줘야 하기 때문에 작전이 번거로워진다. 또한 바로 혈관으로 침투할 시 급속도로 우리 병력이 필요 이상으로 강력해져 인간이 버티지 못할 수 있다. 그래서 우리는 상부의 명

령이 떨어지면 타원형의 알약 수송기를 타고 환자의 입속으로 접근할 것이다.

다음은 대원들이 경구 접근 후 거치게 될 과정에 대해 작전관이 설명한 내용이다. “병력을 환자 소화기관까지 잠입시켜준 수송기는 빠르게 녹기 시작한다. 녹는 수송기로부터 빠져나온 후 너희들은 소장으로 향한다. 이후 소장의 점막에서 혈관으로 흡수되면 간으로 이동될 것이다. 그곳은 굉장히 큰 관문이다. 간에서 효소들은 너희들을 적으로 오인하고 OH기를 붙이며 대사시킨다. 그래서 우리는 몇몇 대원들이 파괴 당할 것을 미리 계산하고 애초에 더 많은 대원들을 투입시킬 것이다. 여기까지 이상 있나?”

나는 사실 굉장히 이상 있다고 생각한다. 나는 아직 파괴될 것을 전제로 하는 작계가 잔인하다고 느껴진다.

어쨌든 간을 통과하면 일단은 큰 벽을 넘긴 샘이다. 간 극복 후 혈관을 타다가 적진에서 세균을 만나면 본격적인 멸균 임무가 시작되는 것이다.

본격적인 멸균 임무에 직결되는 가장 중요한 훈련은 세균이 가진, PBP라고 부르는 단백질과 결합하는 훈련이다. PBP는 적들이 그들의 세포벽 구조를 만들기 위해 필요로 하는 효소 단백질이다.

우리 대원들은 태어날 때부터 일종의 수갑 같은 고리를 가지고 태어난다. 고리의 이름은 베타 락탐이다. 이 고리를 세균의 PBP에 걸어 세균의 효소가 세포벽을 만들지 못하도록 만든다. 이렇게 PBP가 제 기능을 못하게 되면 임무가 성공적으로 마무리되는 것이다. 각 대대마다 적을 상대하는 전술에 차이가 있는데 우리는 이렇게 세포벽을 합성하지 못하도록 하는 방법을 택했다.

나는 대위로서 하사관들을 지휘하고 훈련시킨다. 사실 이들을 훈련시킬 때 딜레마가 존재한다. 우리의 주 훈련은 방금 언급했듯이 PBP와 결합하는 것인데 실전에서 이에 성공하면 임무 완수의 영광을 얻는 동시에 적과 함께 본인 또한 생을 마감하게 된다. 고리를 한 번 결합한 이상 다시 풀 수 없기 때문이다. 일종의 자폭 행위와 비슷하다고 할 수 있다. 반대로 PBP와 결합하지 못할 경우 임무에는 실패하지만 그대로 배설되어 생존할 수 있다.

대원들이 꼭 임무에 성공할 수 있도록 열심히 훈련받게 하지만 사실 나 또한 임무실패 시 그대로 배설되어 한강으로 흘러가 자유롭게 떠다니는 꿈을 꾸곤 한다. 상관들 말로는 막상 교전에 투입되면 적들을 피해 배설되고 싶다는 찌질한 생각은 전혀 들지 않게 된다는데 정말 나도 그런 충성심이 생길까? 전역 후에 빛나는 한강 물결에서 자유롭게 살아가는 것.. 이렇게 멋진 일을 전혀 상상하지 않을 정도로 충성심이 투철하지는 못한 것 같다. 그래도 나를 존재하게 해준 인간들을 위해 이것 저것 계산하지 않고 언제나 열심히 PBP 결합 훈련에 임한다. 어쩔 수 없이 임무에 실패하게 되면 내 꿈대로 살 것이지만 의도적으로 임무에 실패하지는 않을 것이다.

한강에 떠다니는 꿈이 멸균 실패를 의미한다는 점

외에도 충성심에 어긋나는 이유는 한가지가 더 있다.

대원들의 전역 후 삶을 통제하는 것은 MDT의 권한 밖이지만 항생제 사단에서 '권고사항'은 있다. 바로 임무를 하지 못한 채 배설된 후에는 아무도 없는 조용한 곳으로 가서 평생 자신의 존재를 은닉하며 조용히 살아가는 것이다. 이는 항생제 내성을 방지하기 위한 권고이다.

작전 사령부로서는 항생제 내성만큼 최악의 상황이 없다. 아군의 전술을 파악한 내성균들과 싸우려면 훈련 교본을 처음부터 다시 써야하기 때문이다. 만약 전역 후에 한강에서 세균을 만나면 우리는 세균에게 붙잡혀 전술에 대해 심문 당한다. 사실 우리가 전시작계를 불지 않더라도 우리 생김새만 파악하면 적군은 우리가 그들의 PBP에 고리를 결합하지 못하도록 PBP의 모양을 바꿔버리거나 새로운 효소를 만드는 등의 역 전략을 세운다. 몇십년전에 이 때문에 적들이 우리 작전을 파악하고 대원들이 가진 고리를 파괴시켜버리는 효소를 등장시켰다. 이에 우리팀이 계속된 임무 실패와 희생을 겪었고 이후에는 그 효소에 대항하는 지원군과 함께 임무 투입된다.

적들의 새로운 전략들은 계속되지만 최근에는 그 변화로 기존 작계를 변경하라는 상부의 명령은 떨어지지 않았다. 그 말은 최근 항생제 내성이 작계를 갈아 엎을 정도로 치명적이지는 않다는 뜻 아닐까? 그래서 만약 임무 실패 후 파괴되지 않고 배설된다면 그냥 한강에서 내 삶을 살아가려고 한다.

제3화 작전

드디어 실전이 떨어졌다. 약사가 우리를 처방해준 것이다. 작전 시작 전 브리핑에 의하면 환자는 50대 남성으로 3주 이상 지속되는 기침과 고열 증세로 의사를 찾아왔다. 환자의 염려로 흉부 엑스레이 촬영과 균 검사까지 진행한 의사는 세균 감염으로 인한 기관지염을 의심하고 우리를 투입시키기로 했다. 내 모든 삶은 이 50대 환자의 기관지염 치료를 위해 달려온 것이었다.

09시 환자의 아침 식사 시간, 내 생을 건 작전이 시작되었다. 식사 시작과 함께 침투하도록 계획한 것은 식사 초기에 투입되어야 우리가 가장 잘 흡수된다고 알려져 있기 때문이다.

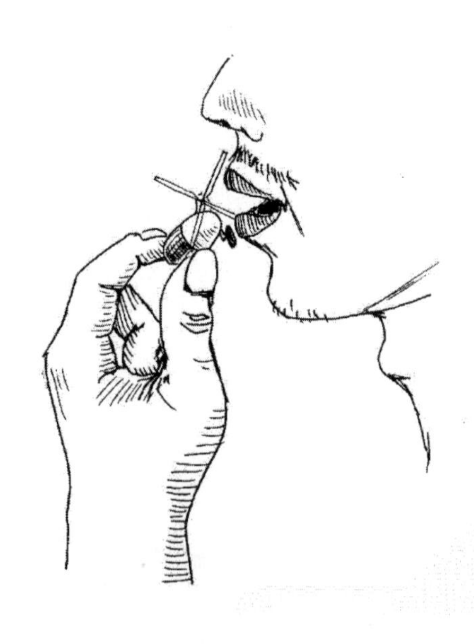

지금껏 함께 훈련해온 팀원들과 같은 캡슐수송기를 타고 작전지에 진입한다. 내 운명도 운명이지만 나와

훈련 교본만을 믿고 지금까지 달려와준 내 팀원들의 운명도 걸려있기에 많은 책임감이 느껴졌다. 한번도 실제로는 경험해보지 못한 환경에 그런 책임감까지 더해지니 몹시 긴장되었다. 멸균 작전시간은 그리 길지 않다. 불과 몇시간 정도인데 그 몇시간 안에 내 운명이 결정된다는 것이 믿기지 않았다. 그래도 열심히 훈련하고 훈련시켜왔기 때문에 작전에 자신은 있었다.

수송기가 물과 함께 환자의 위로 매끄럽게 진입했다. 그런데 몸속이 이렇게 더운 것이었던가? 너무 뜨거웠다. 이제야 내가 작전지에 온 것이 실감이 나기 시작했다. 급격한 환경 변화가 피부에 와닿는 순간 수송기가 우리를 내려주었다. 정말 시작이다. 이제 정말 정신을 꼭 붙들어야 한다. 수송기가 우리를 내려준 곳은 무려 pH 1의 강한 산성을 띠는 무시무시한 위산이 분출되는 곳이다. 이 액체는 우리들을 무력화할 수 있다. 산성 환경에서 버티는 훈련을 해왔지만 실제로 여기저기서 공포스러운 액체들이 나를 감싸오는 컴컴한 공간에 오니 멸균의 횃불이고 자시고 바로 배설되고 싶었다.

그렇지만 혈관 침투도 못해보고 생을 마감하는 것은 용납할 수 없었다. 마음을 다잡고 날카로운 액체들을 피해 소장으로 진입한다. 엄청난 산성 환경에 정신 못 차리고 본인 생명 같은 무장까지 버려버리는 인원들이 보였지만 그들을 뒤로 한 채 신속히 이동해야 했다.

가까스로 소장으로 들어오니 날카롭고 뜨거운 액체의 공격은 잦아들고 익숙한 pH 환경이 반겨주었다. 아마 소장 상부인 십이지장으로 분비되는 염기성 췌장액이 중화시켜주는 덕분일 것이다. 이제 소장의 점막을 통해 간문맥이라고 하는 혈관으로 침투해야 한다.

방금 지나온 위의 점막에서 흡수된 인원도 있을 수 있지만 우리 팀은 대부분 소장점막으로 흡수된다. 소장 pH가 더 안정되기도 하고 표면적도 매우 넓어서 많은 인원들의 침투 경로로 적합하다.

전술 책에서 묘사된 소장으로 예상은 했지만 실제로 보니 정말 많은 주름들과 융모들이 존재했다. 훈련할 때는 혹시라도 소장에서 흡수되지 못하고 그 긴 통로를 지나 그대로 대장으로 가게 되면 어쩌나 걱정했는데 헛된 걱정이었다. 수많은 융털들이 있고 그 융털 하나하나에 또 수많은 미세융모들이 있었다.

소장 지도 상 십이지장을 지나 공장에 도달했을 때 쯤 융모의 점막에 스미듯이 융모 속 모세혈관으로 침투에 성공했다. 이 혈관은 간으로 가는 간문맥으로 이어져 있을 것이다.

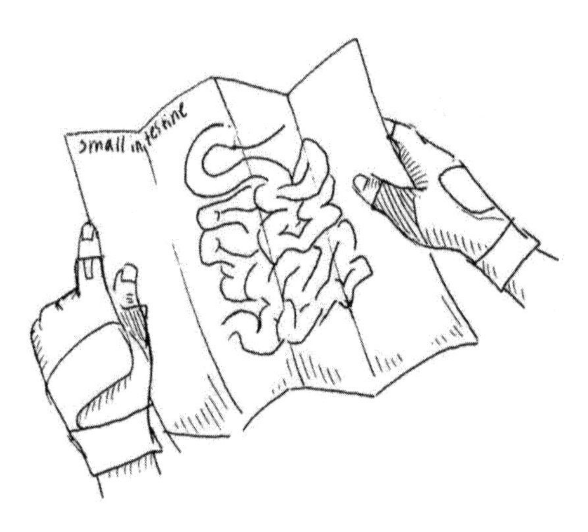

혈관을 타고 작전 조직 도달 전, 우리 팀에게 큰 관문인 간에 도착했다. 간은 작전관이 말했다시피 우리 약분자들이 본인 집주인 도와주는 아군인지 적군인지 판단할 방법이 없기 때문에 우리 같은 외부 물질들은 모두 대사 시켜버리려고 한다.

그런 간에게 적개심을 가질 수 있지만 그럴 수는 없는 노릇이다. 우리 팀 또한 환자에게 아군인 유익균들을 구분하지 못하고 공격한다.

인간의 장에는 유익균인 프로바이오틱스가 정착 생활을 하고 있다. 그들은 젖산을 생성해 장을 적당한 산성 환경을 만들고 이는 유해균과 유익균 사이의 균형을 잡아준다. 대원들은 pbp를 가진 거수자들은 모두 공격하도록 훈련 받았다. 그래서 세포벽을 가진 장

내 미생물들을 만나면 적들을 상대하는 것처럼 임무를 이행한다. 아마 방금 소장 점막에서 혈관 침투에 합류하지 않은 인원들은 장의 균들을 죽이고 있을 것이다.

그나마 다행인 것은 아군 중 유익균 외의 인간 세포들은 세포벽을 가지지 않는다. 즉, 그들은 세포벽 합성에 쓰이는 pbp 효소를 가질 필요가 없기 때문에 거수자로 판단되지 않아 공격받지 않는다.

간의 효소는 우리들에게 극성기를 붙여서 물과 잘 섞이도록 대사시킨다. 이렇게 물에 잘 섞이게 되면 우리는 적군을 상대할 능력이 비활성화되고 소변과 함께 배설되어버려 임무 수행을 할 수 없다.

팀원들에게 주의를 주려고 주변을 돌아보는데 아뿔싸! 이미 몇몇이 효소들에게 당하고 있는 상태였다.

간의 효소는 그들 몸 여기저기에 극성기를 붙여가며 괴롭혔다. OH기가 다닥다닥 붙어버린 대원은 이미 임무 불능 상태였다. 그들은 극성기들에게 포위된 상태로 소변과 섞여 배출될 것이다. 내가 훈련시킨 팀원들이 파괴되어 가는 모습이 생생하게 남았다.

이렇게 된 이상 생존한 팀원들이 멸균 임무에 최선을 다해야 한다.

힘겹게 간을 빠져나와 다시 혈류에 들어왔다. 극소

수는 담즙으로 배설되기도 했다. 우리는 심장을 거쳐 온몸을 한참을 돌다가 기관지 조직을 지배하고 있는 적을 발견했다.

적들의 세포벽 합성 효소를 찾는다. 그 순간 몇몇 인원들의 비명이 들려왔다. 베타락탐 고리를 파괴하려는 효소와 맞닥뜨린 것이다.

베타락탐 고리는 우리 팀의 주된 무장이기 때문에 우리들의 생명과도 같다. 훈련 교본을 보면서 베타락탐 파괴 효소들에 대해 익히 알긴 했지만 이렇게 치명적일 줄은 몰랐다. 나도 자칫하면 당할 위기였다. 내 무기를 가수분해 시키려는 효소들을 필사적으로 피하려고 했다.

그런데 나를 도와주는 이가 나타났다. 누구인지 너

무 급박한 상황인지라 처음엔 알아보지 못했다. 가만 생각해보니 수송기에 탄 인원이 우리 팀만이 아니었다. 이름이 어려워서 듣고 넘겼던 팀인데 이렇게 나를 구해주다니! 그들은 클라불란산이다.

우리 무기를 무력화시키는 효소와 대신 결합해 우리 팀이 제대로 임무수행을 할 수 있도록 도와주는 지원군이다. 전에 언급했듯 항생제 내성으로 고리 파괴효소가 등장하자 함께 투입되기 시작했었다.

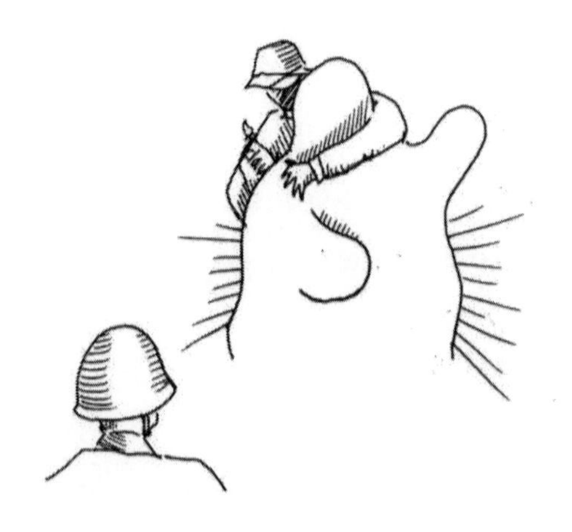

지원군은 우리 대원들과 굉장히 비슷하게 생겼지만 멸균 임무를 하지는 못한다. 고리 파괴 효소들은 지원군들을 우리 팀 대원들로 인식하고 지원군과 강하게 결합했다. 그들이 희생양이 되어준 셈이다.

지원군이 우리 대신 파괴효소와 싸우는 동안 본격적으로 세포벽 합성 효소 pbp에 내 고리를 결합시키려고 했다. 지금까지 많은 장애물들을 딛고 여기까지 왔는데 고리 결합만큼은 내가 가장 자신 있는 부분이었다.

등골이 서늘해지기 시작했다. 아무리 결합을 시도해도 고리가 잘 채워지지 않았다. 내가 지금까지 해온 것들을 부정당하는 것 같았다. 이대로 임무 수행 못하고 다시 혈류로 가면 그대로 신장으로 배설되겠지? 선

배가 했던 말이 이제서야 이해된다. 막상 적을 상대하고 효소들에게 당한 동료들을 생각하니 투지가 생겼다. 나 혼자 살아서 배설되고 싶다는 생각은 전혀 들지 않았다. 하지만 별수가 없었다.

마음을 가다듬고 생각해보았다. 아무리 생각해도 교본을 통해 숙지하고 있던 적 효소 pbp와는 다르게 생겼다. 우리가 알던 모양과 다르니 우리 고리와 잘 결합되지 않은 것이다.

내가 간과했던 항생제 내성에 당한 것일까? 하지만 그렇다고 하기에는 이상한 점이 있다. 내성균은 보통 병원 내에서 의료 기구 접촉 등으로 감염된다. 환자는 병원에 입원 중인 것도 아니었으며 병원 밖에서 일상생활을 하다가 병원을 찾아 온 것이었다. 그리고 균 검사 후 의사가 우리 팀이 효과를 보일 것이라고 판단하고 처방한 것이므로 우리 팀에 대해 내성이 있다고 알려진 적은 분명 아니었다. 알려지지 않은 새로운 내성균들이 병원 밖 외부에 출몰하기 시작한 것일까?

여러 의문들의 회오리 속에 신장으로 흘려 들어 온지도 모른 채 소변으로 방출되었다. 그런데 방출된 곳은 변기가 아니고 도뇨관으로 연결된 소변백이었다. 환자가 위급한 상태라는 것을 직감했다.

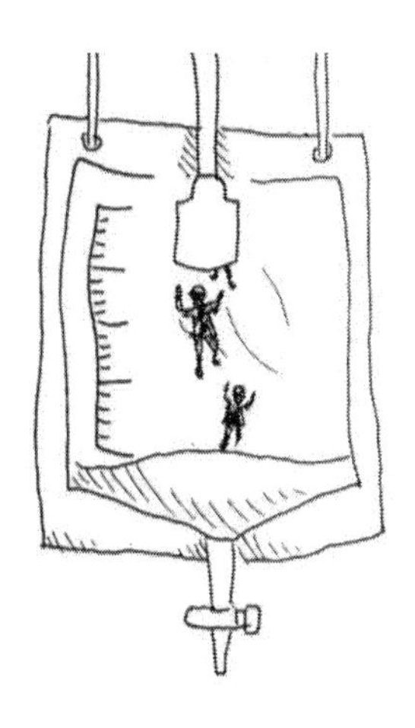

제4화 실패

소변통이 비워진 후 곧 한강으로 흘러갈 예정이었지만 전혀 신나지 않았다. 지금껏 장교 생활을 하며 그곳에서 자유롭게 떠다니는 것을 그렇게 바래 왔는데 내 모든 것을 잃은 기분이었다. 실패를 겪고 나니 이제서야 MDT의 원동력에 대해 이해할 수 있었다. 우리들은 인간의 질병을 치료하기 위해 생을 얻은 존재들이다. 태어날 때부터 존재의 의미는 치료였던 것이다. 그런데 지금 나는 내가 태어난 이유를 이루지 못했다. 그 뿐만이 아니다. 내가 대체 무엇을 훈련하며 살아온 것인가! 내가 공부하고 부대원들에게 가르쳐준 모든 것들이 실전에서 쓰이지 못할 것들이었다. 크나큰 무력감에 휩싸였다.

알고 보니 5일째 처방전에 속해 있던 우리 조가 투입된 시점에는 이미 기관지염이 폐렴으로 번진 상태였다. 4일치 처방전의 대원들이 투입되었음에도 멸균이 전혀 이루어지지 않은 것이다. 약 복용에도 증세가 계속 악화되기만 하자 환자는 우리 작전조까지 투입시키고 다시 의사를 찾았을 것이다. 그때 폐렴을 진단 받아 병원에 입원을 했고 호흡곤란으로 산소호흡기를 착용해 소변줄까지 삽관 받은 것이다. 그래서 나는 소변줄로 방출된 것이었다.

이후에 환자는 병원에서 세균 감염 치료를 위해 시도해보지 않은 나머지 항생제들을 투여 받았다. 수많은 항생제들이 시도되었지만 결국 폐렴으로 번졌던 기관지염이 패혈증까지 이어져 숨을 거두게 되었다.

내가 작전을 맡은 환자의 최후를 보니 이대로 전역할 수는 없다는 생각이 들었다. 나는 작전 보고서를 작성해 다시 mdt 본부로 복귀했다.

내성균이 많이 존재하는 병원에서 감염되는 것이 아니라 외부에서 내성균에 감염되는 일은 흔치 않다. 분명 이제 병원 밖도 내성균으로부터 안전 지대가 아니게 된 것이다. 본부에서 이 안건에 대해 이야기해볼 필요가 있었다. 대원들이 병원 밖 환자에게서도 내성균을 만나게 될 확률이 높아진 것이며 그런 적을 만나게 될 시 똑같이 실패할 것이다. 기존 교본을 믿고 훈련할 후배들을 위해서라도 이것이 대물림 되어서는 안된다.

작전사령부에 안건을 전달하니 놀랍게도 이 사태를 어느 정도 예측하고 있었다고 한다.

30년 전 코로나19가 유행하기 시작했을 때 의사들은 고열과 호흡 곤란 등 폐렴과 비슷한 증상을 보이는 환자들에게 일단 항생제를 처방했다. 세균이 아닌 바이러스가 원인인데도 말이다. 그 결과 우리 팀은 적들을 불필요하게 많이 만나게 되었고 적들은 우리 정보를 이미 파악한 후였다. 그들은 많은 전략들을 시도해보며 우리 공격이 어떤 전략에 약한 지 알아낸다. 그 후 그 전술을 가진 인원들을 대량으로 양성한다.

하지만 코로나 사태는 처음이니 어쩔 수 없다 치자. 의사들의 처방과 환자들의 약 복용 실태를 조사하는 정보원의 말에 따르면 우리나라에서 멸균이 필수적이지 않은 상황에도 항생제를 처방하는 비율이 굉장히 높다고 한다. 인간들이 적들에게 대원들의 기밀 정보를 너무 많이 노출시킨 것이다. 그들이 우리의 공격에 방어할 수 있는 전략들을 실험해볼 기회를 인간들이

준 샘이다.

지금 같은 위기상황을 초래한 원인에는 한 가지가 더 있다. 약을 처방 받은 후의 악습관들이다. 정보 요원이 몇몇 환자들의 복용 습관을 관찰한 결과 증세가 어느 정도 나아졌다 싶으면 처방 받은 약들을 끝까지 복용하지 않는 모습들이 보였다고 한다. 우리 팀이 제대로 작전을 완수하도록 협조하지 않은 것이다. 이럴 경우 투입되는 병력 수가 충분하지 않아 모든 적들을 해치우지 못하게 되고 오히려 강력한 전술을 가진 적들이 우세해진다. 우리 공격에 당하는 힘을 가진 적들은 제거해줌으로써 이길 수 있는 힘을 가진 적들만의 공간을 만들어준 것이기 때문이다. 우리의 공격으로부터 용하게 살아 남은 적은 공격 방어의 경험을 통해 우리 팀에 대응할 수 있는 전략이 무엇인 지 쉽게 알 수 있다. 그 후 외부의 다른 적들에게 그 경험과 전략을 공유하며 많은 내성균들이 생기게 된다.

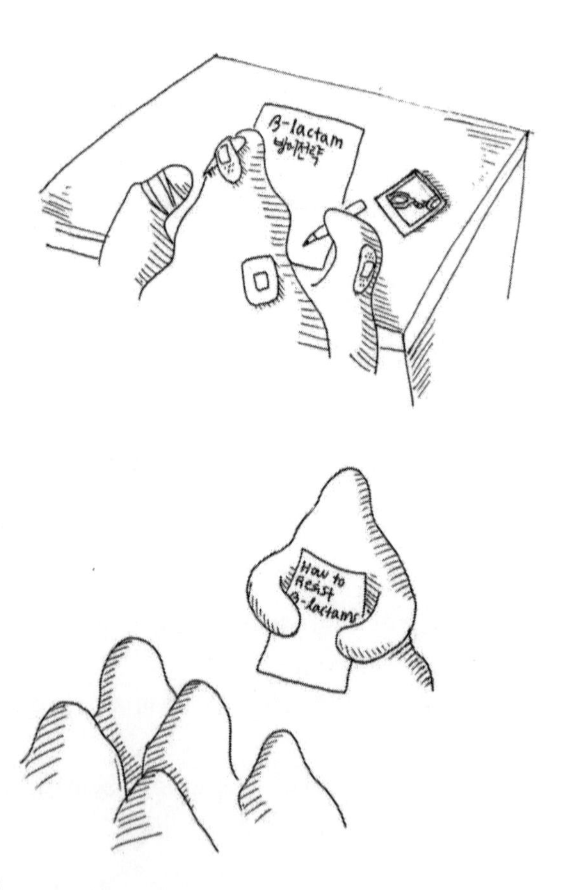

이렇듯, 불필요한 작전 투입과 우리 임무에 협조하지 않는 것은 인간세계에서 한 나라의 국민이 적대국에게 조국의 중요한 군사 정보를 팔아 넘기는 행위와 비슷하다. 이런 일들이 수년에 걸쳐 광범위하게 일어나자 일상 생활에서도 내성균을 만날 확률이 높아진 것이다.

일반적으로, 적들이 새로운 방어 체계를 실험하고 성장하는 곳은 많고 다양한 항생제를 상대해볼 수 있는 의료 공간이다. 또, 병원은 우리 팀을 도와 함께 싸워줄 면역 세포들이 굉장히 약해져 있는 상태의 환자들이 많기도 하고 적들이 의료기구를 타고 다른 환자들에게로 세력을 넓히기도 용이해서 적들이 힘을 키우기 딱 좋은 공간이다. 그래서, 그나마 병원 외부는

강력한 적들이 힘을 키우기 힘든 곳이었는데, 이제는 더 이상 그렇지 않은 것 같다. 인간들이, 적들이 성장할 기회를 너무 많이 쥐어 주었다. 우리 부대의 존재는 인간들의 건강을 위한 것인데 인간들이 잘 협조를 해주지 않는 것이 몹시 안타까웠다.

사실, 실전 경험 전에는 적들의 새로운 전략에도 상부에서 작전 변경에 대한 지시는 없길래 내성이 그렇게 치명적이지는 않은 것으로 알고 있었는데 전혀 아

니었다. 작전 변경 지시가 내려오지 않은 것은 우리 팀의 기존 작전이 강력해서가 아니고 적군이 우리 아군을 파악하는 능력이 월등해서 였다. 우리가 작전에 변화를 주어도 적들은 이를 빠르게 파악하고 또다시 전략을 바꾸어 버리기 때문에 우리 측에서 작전 변경이 큰 의미가 없게 된 것이다.

제5화 마지막 임무

인간들이 작전 수행을 도와주지 않으니 우리가 이 사태를 직접 해결할 수 있는 방법을 모색해야 했다. 환자의 사망으로 확실히 알 수 있는 것은 현재 병원 밖 외부에도 새로운 내성균이 출몰하고 있다는 것이다. 이 사태가 심화될 경우 정말 지구는 디스토피아가 될지도 모른다. 가벼운 세균 감염에도 우리 대원들이 적절하게 임무를 수행하지 못해 생명에 위협이 되는 세상이 될 수도 있다.

내가 계획하고 있는 해결 방법은 변화 기록 시스템 구축이다. 지금 가장 문제가 되는 것은 적들의 빠른 적응력이다. 이에 맞대응하기 위해서는 우리도 적의 방어에 빠르게 적응해야 한다. 적들의 새로운 전략들을 바로바로 기록함으로써 우리도 그에 맞설 수 있는 작전을 계획하는 것이다.

이를 위해 작전 조에 통신병을 새로 영입해 적의 pbp 생김새를 본부로 통신해줄 수 있도록 한다. pbp의 생김새에 대해 보고 받은 기록 팀은 미묘한 변화까지 기록해 어떤 방향으로 변화를 주었는지 동향을 파악한다. 이를 통해 다음에 적이 어떻게 전략을 바꿀지 미리 예측하고 아군 측에서도 새로운 전략을 세우는 것이다.

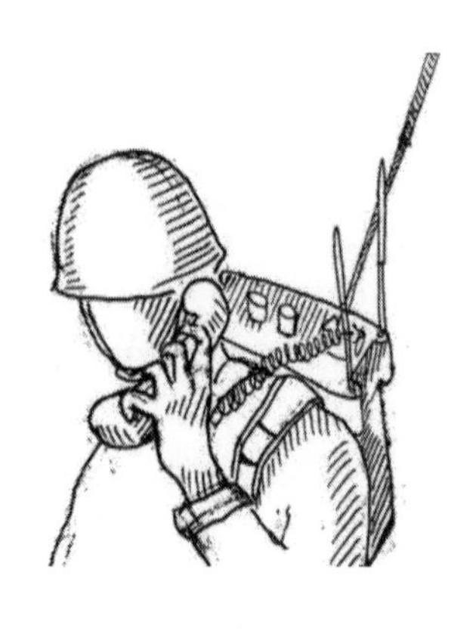

이 방대한 계획을 우리 부대 역사 최초로 전역을 미루고 복무 연장까지 하면서 실현시킬 생각을 하니 눈물이 앞을 가렸다. 하지만 지난 실패를 생각하면 이것은, 꼭 적을 우리 힘으로 해치우고 말겠다는 투지의 눈물이었다.

일단, 성공적인 시스템 구축을 위해서 변화를 파악해 새로운 전략을 세우는 방법이 먹힐 지 실험을 해볼 필요가 있다. 적의 효소를 만났을 때 혼란스러운 와중에 숙지하던 pbp 구조와 비교하면서 파악했던 구조 변화를 떠올렸다. 사라지길 바랬던 기억을 더듬으며 새로운 환자에게 투입될 작전 조가 소지한 무장을 직접 튜닝했다.

이제 이 개선된 고리를 가지고 작전에 들어가는 인원들이 멸균 임무 성공만 해주면 된다. 세균 검사로 어떤 적을 상대하게 될 지 미리 식별하고 들어가지 않는 이상 기존의 무장으로 공격할 수 있는 적을 만나게 될 수 있다. 그래서 기존 인원들은 원래대로 투입 시키고 업그레이드시킨 대원들을 일부 합류 시키기로 했다.

새로운 고리를 가지고 예비조로 투입될 대원들은 최정예 인원들로 선발해야 했다. 그들은 멸균 임무 뿐만

아니라 기존 작전조가 임무를 잘 수행하고 있는지 판별하고 본부로 통신까지 해야 하기 때문이다. 만약 일이 잘 풀리고 있지 않는 것이 식별될 경우 그들의 새로운 무기를 실험해볼 기회가 온 것이다.

새로 구성된 팀이 투입될 시간이 빠르게 다가왔다. 그런데 정말 운이 좋게도 그들은 환자의 처방전이 아닌 항생제 감수성 검사에 배치되었다.

이 검사는 환자를 감염시킨 균 공격 임무를 그들에게 맡겨도 될 지 시험하는 검사이다. 환자의 검체로부터 미생물을 분리해서 이들을 키운 배지에 대원들을 배치시켜 그들 진영에 균이 못 자라는 지 확인하는 과정으로 이루어진다. 만약 대원들이 멸균 임무를 효과적으로 해낸다면 그들 구역 주변으로는 적들이 얼씬도 못하고 동그랗게 접근 불가 구역이 생긴다. 그런 구역을 만들어낸 항생제 팀에게 멸균 임무가 허가된다.

놀랍게도 검체의 주인은 내가 작전 실패를 겪은 환자의 자제분이었다. 동일하게 심한 기관지염 증세에 입원하게 된 것이다. 사망 환자의 밀접 접촉자이며 비슷한 양상의 증상을 보였기 때문에 같은 내성균이 원인균일 확률이 굉장히 높았다. 병원에서는 내성균에게 사망한 환자가 발생하자 대대적으로 항생제 감수성 검사를 진행하는 모양이었다.

가족이 내성으로 사망하는 것을 곁에서 지켜본 환자이므로 검사 결과를 목 빠지게 기다리는 듯 했다. 건강하고 평범하게 일상생활을 하던 가족이 그 흔한 세균 감염에 생을 다했으니 얼마나 분이 터졌을까..

그 환자만큼 통신팀의 연락을 기다리는 것은 나였다. 새로운 전략이 효과가 있다면 얼마나 좋을까! 내가 살리지 못한 환자의 자식분이라고 하니 더더욱 새로운 무장이 효과가 있길 바랬다.

이틀 후 본부에 통신팀의 연락이 닿았다. 감격스럽게도 효과가 있었던 것이다!

"통신보안, 현재 기존 작전 조 임무 실패로 예비 조 임무 투입 후 멸균 성공한 것 알림"

너무나도 벅찼다. 항생제 감수성 검사 결과 우리 팀 진영 외에 나머지 다른 항생제들의 진영은 적들에게 지배당했다. 역시 자제분 또한 다제 내성균에게 감염된 것이었다. 다행히 우리 팀 구역 주위로는 동그랗게 멸균 구역이 형성되었다. 적들의 pbp 변화를 고려해 바꾼 고리가 효과를 보인 것이다.

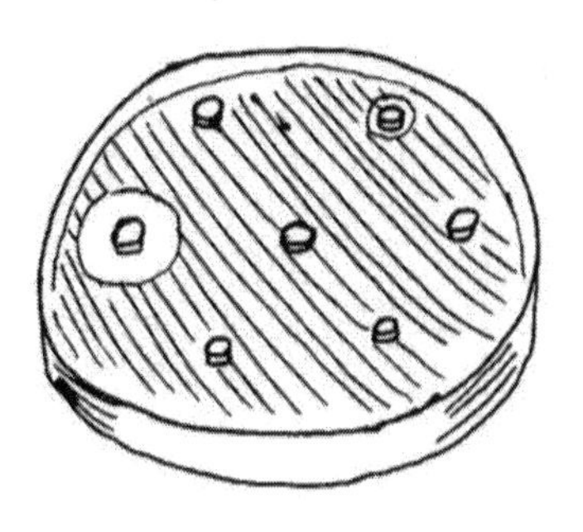

적들의 변화를 파악해 맞대응하는 것이 가능하다는

것을 확인했으니 이제 그 변화를 매 작전마다 통신 받고 기록하는 시스템만 잘 자리잡으면 되는 것이었다. 이번에 투입된 새로운 무장이 pbp 공격에 성공했지만 이 성공이 영원하지는 않을 것이다. 적은 또 이 무기에 적응할 것이고 계속해서 변화할 것이다. 그렇기 때문에 우리도 끊임 없이 상대의 움직임을 파악하고 유동적으로 발전된 작전을 계획해야 한다.

해결 방법을 찾았으니, 이 기록 시스템의 운영은 후배들에게 맡기기로 하고 나는 새로운 무기와 함께 마지막 임무를 하러 가려고 한다. 임무 완수를 위해 최초로 재입대를 해 항생제 내성에 대응할 수 있는 기록팀까지 창설한 것이 멸균 부대원으로서 굉장한 영광이었다.

내 마지막 임무가 배정된 환자는 내가 임무를 실패했던 환자의 아들분이었다. 적을 해치우지 못했다는 죄책감에서 조금이나마 벗어날 수 있는 기회였다.

며칠 전 탔던 수송기에 다시 오른다. 아마 이 수송기를 두 번씩이나 타본 대원은 나 뿐일 것이다. 또다시 위산, 분해효소들, 간의 대사효소들을 피해 기관지 조직에 도달한다. 적들과 재회하자마자 내 고리를 그들의 pbp 단백질에 성공적으로 결합시킨다. pbp에 내 고리가 결합된 균 효소는 갈피를 잡지 못하고 세포벽 건설 부품들을 연결시키지 못한다.

세포벽을 만들지 못한 적은 그의 높은 압력을 견디지 못하고 이곳 저곳으로 내용물들을 뱉어내며 터져 죽는다.

나는 pbp 효소와 얽힌 채로 멸균 부대원으로서 명예롭게 생을 다했다.

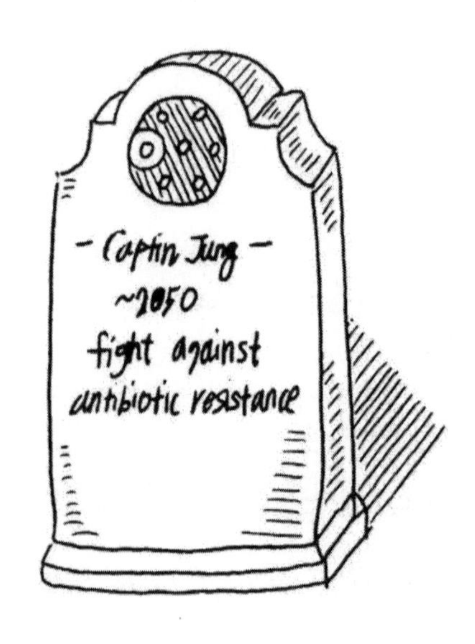

Epilogue

이 짧은 소설의 배경은 2050년입니다.

질병관리청에 의하면 매년 항생제 내성으로 전 세계에서 70만 명이 넘는 사망자가 발생하고 있으며 현재의 추세를 이어가면 2050년쯤에는 1년간 1,000만 명 이상이 사망할 수 있다고 합니다.

내성균을 정복할 방법을 찾지 못한다면 조그마한 생채기에도 생명의 위협을 느껴야 하는 날이 올 지도 모릅니다.

하지만 이 심각한 상황을 많은 사람들이 인지하지 못하고 있습니다. 저 또한 다제 내성균의 심각성에 대해 최근에 알게 되었습니다.

그래서 그런지 내성균 출현 예방의 중요성을 많은 이들이 모르고 있는 것 같습니다. 내성균을 막기 위해서는 글에서 알 수 있듯이 불필요한 항생제 처방이 없어야 하며 처방 받은 약은 끝까지 올바른 복용법에 맞게 복용해야 합니다.

글을 쓰는 중, 피부과 약으로 항생제를 처방 받았는데 더욱 경각심을 가지고 올바르게 복용했습니다. 이 글의 독자들도

저와 같이 경각심을 가지게 되길 바랍니다.

이 글은 sf 소설이기 때문에 약 분자가 스스로 pbp구조 변화로 생긴 내성을 해결했습니다. 하지만 현실에서는 불가능한 일일 것입니다. 가령 제 상상이 가능하다고 하더라도 세균들은 또 다른 신박한 방법으로 내성을 만들어낼 것입니다.

따라서 우리, 인간들이 항생제 내성으로 올 위기를 막아야 합니다.

"누구든지 가게에서 페니실린을 살 수 있는 날이 올 것이다. 그렇게 된다면 무지한 사람들이 쉽게 약을 복용하는 위험한 상황이 발생할 것이다.

그의 몸 안에 있는 세균이 치명적이지 않은 양의 약물에 노출됨으로써 그 세균이 내성을 갖게 될 것이다"

알렉산더 플레밍, 1945 노벨상 강연

Republic
Of
Korea
Antibiotic

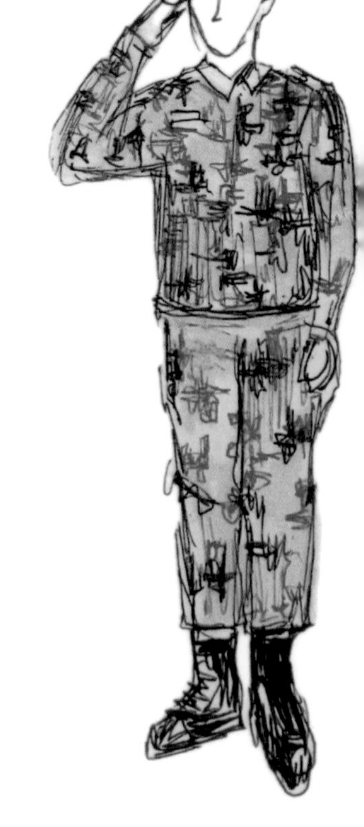

메트로놈

김유화 지음

BOOKK